Ce livre appartient à

Johana

On me l'a offert le mardi

le 12 2009

à l'occasion de pas que

se un filles

Merci à la maban

Gouvernement du Québec - Programme de crédit d'impôt pour l'édition de livres - Gestion SODEC

Nous remercions le Conseil des Arts du Canada de l'aide accordée à notre programme de publication.

Nous reconnaissons l'aide financière du gouvernement du Canada par l'entremise du Programme d'aide au développement de l'industrie de l'édition (PADIÉ) pour nos activités d'édition.

VICKI MILOT

Archimède veut flotter

Éditions de la Paix

Dépôt légal 1er trimestre 2004
Bibliothèque nationale du Québec
Bibliothèque nationale du Canada

Imprimé au Canada

Illustration Romi Caron
Graphisme Vincent Gagnon
Révision Jacques Archambault

Éditions de la Paix
127, rue Lussier
Saint-Alphonse-de-Granby
Québec J0E 2A0
Téléphone et télécopieur **(450) 375-4765**
Courriel **info@editpaix.qc.ca**
Site WEB **http://www.editpaix.qc.ca**

Données de catalogage avant publication (Canada)

Milot, Vicki

Archimède veut flotter

(Dès 6 ans ; 33)
Comprend un index.

ISBN 2-922565-95-5

I. Caron, Romi. II. Titre.
III. Collection: Dès 6 ans ; 33

PS8626.I46A92 2004 jC843'.6 C2004-940234-Z
PS9626.I46A92 2004

Vicki Milot

Archimède veut flotter

Illustration Romi Caron

Collection *Dès 6 ans*, no 33

Éditions de la Paix

pour la beauté des mots et des différences

Archimède est un célèbre savant grec qui a découvert comment et pourquoi flottent les corps.

Il a observé cette loi en prenant son bain. Archimède a été tellement content qu'il a couru dans les rues de la ville, tout nu et tout mouillé, en criant : Eurêka ! Eurêka ! Ce qui veut dire : J'ai trouvé ! J'ai trouvé !

Mais ici, on raconte une autre superbe histoire.

À Emy

qui flotte comme une étoile

de mer

ROMI CARON, illustratrice

Je suis née en République tchèque dans une famille où tout le monde dessinait. Ma mère enseignait l'art et avait l'habitude de faire des croquis de mon frère et de moi. Ces albums nous tiennent lieu maintenant d'album de photos.

Quant à mon père, architecte, il nous tenait toujours occupés à réparer le ciment, à labourer, à peindre, etc. Ma seule façon de m'en tirer était de m'affairer à dessiner dès que je rentrais de l'école.

À 14 ans, j'ai été admise à l'École des arts, et à 18 ans, à l'Université des Beaux-Arts de Prague où j'étais la plus jeune.

À 21 ans, j'ai rencontré un Canadien en Norvège... et depuis, je fais des illustrations pour la publicité, les livres et les magazines. Mais surtout... des croquis de nos trois fils, Samuel, Jonathan et Ian.

1

L'épreuve de l'eau

Archimède passe l'été sur une île du Saint-Laurent. Un endroit de rêve où les enfants apprennent à nager avant même de marcher. Mais contrairement à ses compagnons, Archimède n'a rien d'un poisson dans l'eau.

C'est pourquoi tous les soirs, en fermant les yeux, il fait un vœu, celui de flotter. Et tous les matins, en les ouvrant, il se demande si son vœu a enfin été exaucé.

Il enfile donc son maillot et descend vers le rivage pour l'épreuve de l'eau.

2

Archimède ne flotte pas

Sous le regard bienveillant de sa mère, il plonge dans le fleuve et s'allonge sur le dos. Une fois dans la position de l'étoile de mer, il ferme les yeux et prie très fort pour ne pas couler comme un vieux radeau.

Mais malgré ses efforts, ses ébats finissent toujours de la même façon... Ses pieds calent et il se retrouve en un rien de temps debout au milieu des flots. C'est généralement à ce moment-là que sa sœur Mirabelle lui lance depuis la fenêtre de la maison :

— Raté ! Tu flottes comme une roche.

Ce matin, en revanche, Archimède a bien l'intention de pousser un peu plus loin son expérience. Sans prévenir, il prend sa planche de natation et file jusqu'au bout de l'île. Une fois sur place, il entre dans l'eau et se couche sur sa planche en se répétant les consignes de sa mère :

— Fais-toi aussi léger qu'un nuage.

Porté par les vagues, il se sent si bien qu'au bout d'un moment, il s'endort. Et son esprit, comme son corps, se met à dériver, dériver...

3

Un poisson qui parle !

Bientôt, il se retrouve dans l'univers des rêves, aux côtés d'un achigan[1]. Ce poisson est très différent de ceux qu'il a l'habitude de pêcher. Il ne fait pas qu'ouvrir la bouche, il parle !

— Eh bien ! On rencontre rarement des humains ailleurs qu'au bout d'une ligne à pêche. Qu'est-ce qui t'amène ici ?

---

[1] Achigan, dans la langue des Algonquins, signifie « celui qui se débat ».

— Je voudrais apprendre à flotter.

— Ah ! ah ! ah ! Elle est bien bonne ! Mais tu n'es pas un poisson, et sans nageoires, tu n'arriveras à rien.

— Pourtant, mes amis en sont bien capables, eux, et ils n'ont pas de nageoires.

— C'est qu'ils ont reçu l'aide des Yeux.

— Hein ! Les yeux... Je ne comprends pas.

— Les Yeux de la mer, répond l'achigan, le plus sérieusement du monde.

— Je ne savais pas que la mer avait des yeux.

— Eh oui, mais ils n'ont rien à voir avec tes yeux. Ce sont en fait des poissons qui veillent au bien-être des gens de ton espèce dans l'eau.

— Mais je n'en ai jamais rencontré.

— C'est normal, les Yeux sont difficiles à voir. Ils ont la taille d'un grain de sable. En plus, ce sont des poissons caméléons. Ils peuvent prendre la couleur de l'eau, du sable... et même celle de ta peau. C'est bien pratique pour leur travail.

— Quel travail ?

— Un de leurs rôles est de vous fabriquer des nageoires pour vous permettre de flotter. Lorsqu'ils en ont assemblé une paire, ils se mettent à la recherche d'un humain à qui elles iront parfaitement. Et dès qu'ils l'ont trouvé, ils lui collent une nageoire de chaque côté du corps, ni vu, ni connu. Tu l'ignores peut-être, mais certains de tes amis en portent.

— Ça n'a ni queue ni tête, cette histoire. Personne n'a de nageoires sur mon île !

— Ne te fâche pas, petit. Si tu n'as jamais remarqué ces nageoires, c'est qu'elles sont invisibles aux gens de ton espèce. Seuls les habitants du monde marin peuvent les voir. Mais ma grande bouche a déjà trop parlé.

En un éclair, l'achigan disparaît et Archimède revient à lui. À peine a-t-il ouvert les yeux qu'une vague s'abat sur lui. Saisi, il rabat sa main sous son dos pour saisir sa précieuse planche, mais elle a disparu !

4

Le petit rescapé

Il se rend compte alors qu'il flotte. Sans effort. Il n'arrive pas à y croire. C'est un vrai tour de magie !

Malheureusement, au bout de quelques secondes, son rêve s'écroule. Et si ce petit miracle était l'œuvre des Yeux ? Ces poissons auraient-ils profité de son sommeil pour lui poser des nageoires ?

D'un geste rapide, il se frotte les côtes, mais n'y trouve rien d'anormal. Ça le soulage un bref instant... Le temps de comprendre qu'il est au bout du monde.

En effet, son île, si grande d'habitude, est à peine visible où il se trouve. Affolé, il se met à tourner en tout sens. Il aperçoit alors une embarcation.

— La barque de Mirabelle ! Ouf, sauvé !

Une fois à bord, le pauvre Archimède a droit au regard qui

tue, une spécialité de sa grande sœur.

— Tu m'as vraiment fait peur, petit marsouin. Il y a déjà deux heures que je te cherche.

Pour toute réponse, Archimède lui sert sa spécialité à lui, un sourire désarmant. Surprise du peu de réaction de son frère, Mirabelle change tout à coup de ton :

— Es-tu blessé ? As-tu eu un coup de chaleur ou bien est-ce qu'un poisson t'a avalé la langue ?

5

Trop de questions

Ces questions font sourire Archimède qui demeure tout de même muet comme une carpe. Dans sa tête, d'autres questions montent comme des feux d'artifice. Est-ce que je porte des nageoires invisibles ? Et dans ce cas, est-ce que je suis un homme-poisson ? Si un perroquet peut parler, un poisson peut-il en faire autant ?

Perdu dans ses pensées, Archimède fixe le large sans prêter attention à ce qui défile devant lui. Une baleine pourrait faire surface qu'il ne la remarquerait pas.

Ce n'est qu'au moment de toucher terre qu'il aperçoit la silhouette de sa mère. Même des voisins sont sur le quai. Tous l'attendent avec impatience.

— Comment se porte le petit rescapé ? lui lance-t-on en le soulevant de la barque.

— Bien, bien, répond-il, embarrassé par tous les gens qui le dévisagent.

Bientôt sa mère le serre dans ses bras et il oublie les gens qui l'entourent. Puis après de longues embrassades, tous deux repartent vers la maison main dans la main.

6

Des poissons invisibles ?

Une fois passée la porte, Archimède disparaît dans la salle de bains. Devant le miroir, il inspecte ses côtes à la recherche de nageoires. Mais son corps n'a pas l'ombre d'une écaille. Cet examen ne suffit pourtant pas à le calmer.

Il va à la bibliothèque et prend l'*Encyclopédie du monde marin*. Avec patience, il feuillette toutes

les pages à la recherche de poissons invisibles. La seule créature transparente qu'il y trouve est la méduse. Aussi bien chercher une « anguille » dans une botte de foin.

Enfin, il consulte la section des achigans pour savoir s'il existe des espèces parlantes. Malheureusement, son livre est muet sur ce point. Il le referme et descend dans la salle à manger. Une bonne odeur de soupe lui taquine les narines.

— Ne te cache pas derrière ton potage, mon garçon. J'aimerais que tu me dises ce qui t'est arrivé, questionne sa mère.

— Euh, je voulais essayer ma planche, près du port de plaisance, et je me suis endormi dessus.

— Ah ça, c'est la meilleure ! réplique sa mère, alors que Mirabelle se tord de rire. Tu sais pourtant que tu dois rester près de la maison quand tu te baignes. Allez, dans ta chambre et interdiction de sortir avant demain.

— Mais, maman, je voudrais te montrer quelque chose.

— Ça devra attendre. J'en ai assez entendu pour aujourd'hui.

Déçu, Archimède quitte la table. Il aurait aimé dire à sa mère qu'il flotte, mais c'est peine perdue. Demain, il trouvera bien une façon d'annoncer cette grande nouvelle. En attendant, il ne lui reste qu'une chose à faire, se caler dans son lit et dormir.

7

Un vieux marin

— Archi, réveille-toi, lui lance sa sœur depuis la cuisine. Allez, ton petit déjeuner t'attend.

— C'est déjà le matin ? J'arrive.

En ouvrant la porte de sa chambre, il trébuche sur un gros objet.

— Ma planche ?

Lorsqu'il la soulève, une petite enveloppe s'en échappe. Étonné, il la ramasse, l'ouvre et lit le message :

Monsieur Belleau a repêché ta planche.

Mirabelle.

Chouette ! pense-t-il. Si quelqu'un peut m'aider à percer le mystère des nageoires, c'est bien ce vieux marin.

Après avoir avalé son petit déjeuner, il se dirige vers le port de plaisance où travaille monsieur Belleau.

— Bonjour ! Je suis venu vous remercier pour ma planche.

— Y a pas de quoi, mon petit mousse. C'est la marée qui l'a rejetée sur la rive. Je n'ai fait que la ramasser.

Rassemblant tout son courage, Archimède dit tout bas :

— J'aimerais vous demander quelque chose de spécial. Avez-vous déjà entendu parler de nageoires humaines ?

— La mer porte de fabuleuses légendes, dont celle des sirènes à queue de poisson. Mais c'est la première fois qu'on me signale une histoire pareille. Pourquoi me poses-tu cette question ?

— C'est un peu compliqué. Hier, j'ai enfin réussi à flotter sans ma planche, et je me demandais si, euh... s'il ne m'avait pas poussé des nageoires.

— Que vas-tu chercher là, Archimède ? Sans vouloir te vexer, je pense que tu as un peu trop d'imagination. Si tu flottes, c'est que tu as réussi à maîtriser ta peur.

— Ah oui ?

— Certainement. Flotter n'a rien de sorcier. Il faut relâcher nos muscles pour profiter de la poussée de l'eau sur notre corps. C'est un principe scientifique connu depuis très longtemps. Nous en reparlerons une autre fois, si tu veux. Je dois partir.

— Merci mille fois !

8

Archimède flotte

En regardant s'éloigner le marin, Archimède pense qu'il doit aussi rentrer. Sa mère lui a fait promettre de rester auprès d'elle aujourd'hui. Il repart donc au pas de course vers la maison.

— Tu m'avais encore filé entre les pattes, petit garnement. Tu ne tiens pas tes promesses longtemps, lui lance sa mère, sourire en coin.

— Zut ! répond-il, en se grattant la tête... J'avais oublié.

— N'est-ce pas l'heure de ta baignade matinale ?

— Oui, maman. Et tu vas voir ce que tu vas voir.

Sans hésiter, il plonge et s'étend sur le dos.

— Archi, tu as oublié de prendre ta planche. Tu vas encore caler, lui crie sa sœur.

— Ce n'est pas la peine... Regarde-moi bien.

— Miséricorde, tu flottes ! C'est fantastique !

Content de son effet, Archimède exécute toutes sortes de cabrioles. Son petit corps semble en parfaite harmonie avec le fleuve.

En outre, Mirabelle, qui ne manque jamais une occasion de le taquiner, n'a que des mots gentils pour lui cette fois.

— C’est le plus beau jour de ma vie, s’écrie notre petit baigneur.

Il n’a plus du tout le goût de sortir de l’eau.

9

Eurêka ! J'ai trouvé !

Avant de fermer les yeux pour la nuit, Archimède porte un dernier regard à sa fenêtre. Dehors, le Saint-Laurent est noir et mystérieux. Mais étrangement, ça ne lui cause aucune crainte.

Sa baignade de la journée l'a réconcilié avec la mer. Il commence même à prendre ses histoires de nageoires beaucoup moins au sérieux.

J'ai mordu à l'hameçon d'un achigan imaginaire, songe-t-il un peu honteusement. Et pour mieux oublier cette histoire, il plonge dans son lit et se couche dans la position de l'étoile de mer.

Les yeux fermés, il fait la promesse de ne plus se laisser impressionner par des créatures... tout droit sorties de ses rêves.

Malgré tout, il lui faudra encore quelque temps pour balayer de son esprit les poissons invisibles qui y flottent encore.

Table des chapitres

Des livres pour toi aux Éditions de la Paix Inc.

127, rue Lussier
Saint-Alphonse-de-Granby, Québec J0E 2A0
Téléphone et télécopieur (450) 375-4765
info@editpaix.qc.ca www.editpaix.qc.ca

Collection DÈS 6 ANS

C. Claire Mallet

Le Trésor de Cornaline

Danielle Malenfant

Jean-Vert est à l'envers

Luc Durocher

La Manie de maman

Huguette Ducharme

Une Enquête très spéciale

Vicki Milot

Archimède veut flotter

Nancy McGee

La Roche

Renée Charbonneau

Les Contes de ma mère Poule

Le Roi des balcons

Exprès et Exciprès

Hélène Grégoire

Richard, Dollard et Picasso

Luc Durocher

Un Chien pour Tanya

Élise Bouthillier

La Soupe aux nez de bonshommes de neige

Anne Deslauriers

Le Prof d'un jour

Lise Hébert Bédard

L'Arc-en-ciel d'Alexis

C. Claire Mallet

Disparition chez les lutins

Documents d'accompagnement disponibles

1 Livre-terrain-de-jeux et cassette de la *Chanson du courage* (paroles et musique)

2 Cahier d'exploitation pédagogique (nouveau programme)